D0811296

KINDERSCHRIK

Eerder verschenen van Vonne van der Meer:

Het limonadegevoel en andere verhalen (1985)
Een warme rug (roman, 1987)
De reis naar het kind (roman, 1989)
Zo is hij (roman, 1991)
Nachtgoed (verhalen, 1993)
Spookliefde (novelle, 1995)
Weiger nooit een dans (toneel, 1996)
De verhalen (1997)
Eilandgasten (roman, 1999)
De avondboot (roman, 2001)
Laatste seizoen (roman, 2002)
Ik verbind u door (roman, 2004)
Take 7 (roman, 2007)
Zondagavond (roman, 2009)
December (verhalen, 2009)
De vrouw met de sleutel (roman, 2011)

KINDERSCHRIK

1

VONNE VAN DER MEER

2

JOSEF WILLEMS

2012

UITGEVERIJ CONTACT

AMSTERDAM | ANTWERPEN

© 2012 VONNE VAN DER MEER (1) EN JOSEF WILLEMS (2)
OMSLAGONTWERP HERMAN VAN BOSTELEN
TYPOGRAFIE BINNENWERK BART VAN DEN TOOREN
ZETWERK PERFECT SERVICE
DRUKKER KONINKLIJKE WÖHRMANN, ZUTPHEN
ISBN 978 90 254 3879 1
D/2012/0108/903
NUR 301
WWW.UITGEVERIJCONTACT.NL

1

Voorpret is een groot goed, maar het verheugen op Justus' verjaardag begon wel heel lang van tevoren. In december 2008 ontvingen wij, de vrienden van de jarige, een e-mail van zijn vrouw: of we de namiddag en avond van de 6de december 2009 alsjeblieft vrij wilden houden.

Ik had de grote agenda van volgend jaar pas een paar dagen in huis. Het prijsje zat er nog op, alle dagen waren nog onbeschreven. Niets veelbelovender dan een lege agenda. Als verse sneeuw zonder voetsporen, als stilte vlak voor de eerste noten klinken. Zolang er nog niets in de agenda staat, is alles nog mogelijk: de verre reis die we al zo lang in ons hoofd hebben, drie maanden onafgebroken in afzondering aan een boek werken, een zee van tijd om een gedachte van bron tot monding te volgen.

Dat alles allang niet meer mogelijk was, wist ik ook wel, maar ik wilde de illusie van een onbevlekte toekomst alleen nog even laten voortduren. Op de kleine kalender van het komend jaar, afgedrukt op de laatste bladzij van het huidige, waren tal van data omcirkeld. Van een pijl of sterretje voorzien dat verwees naar een afkorting in de kantlijn. Codes voor lezingen, deadlines, tandartsafspraken. Ik had alleen nog niet de moeite genomen ze in de nieuwe agenda te noteren.

Dat deed ik nu, maar niet voor ik eerst bij donderdag 3 december 'Justus, zestig' had geschreven. En bij zondag 6 in grote letters: 'J. viert zijn verjaardag!' Met gemengde gevoelens, want het staat me tegen lang van tevoren de dag en het uur te kennen, en waarom ik daar met wie zal zijn.

* * *

Wat er die avond gebeurd is, wat zich ontvouwde, zal ik niet gauw vergeten. Ontvouwen is het woord niet, het was eerder alsof iets Justus omsloot. Zoals in de psalmtekst: 'Mij mag het duister omsluiten, licht worde nacht om mij heen.' Hij was die avond omringd door vrouw en kinderen, door familie en vrienden, door al zijn dierbaren. Maar als ik hem voor me zie, staat hij alleen in de versierde ruimte.

* * *

Zes weken voor het zover was, ontvingen wij de uitnodiging van de jarige zelf. Zestig worden, hij probeerde eraan te wennen, schreef hij. 'Maar het wil nog niet echt lukken. Misschien nadat ik een glas met jullie gedronken heb.'

Ik schreef het definitieve tijdstip waarop het feest zou beginnen over in mijn agenda, het adres kende ik uit mijn hoofd. Jetta en Justus wonen er al jaren, eerst met één kind, uit haar vorig huwelijk, later met twee. We hebben er kaarten naartoe gestuurd van verre en dichtbije eilanden, geboortekaartjes, boeken, uitnodigingen.

Onder aan de uitnodiging van Justus stond nog een naam die ik niet kende, een zin met een uitroepteken. Of we wilden zorgen dat we in ieder geval voor zes uur aanwezig waren, want rond die tijd wachtte ons het optreden van Mateus Emilio Batista! Justus kennende was Batista geen illusionist of een buikdansende travestiet, maar een muzikant net als hij. Voorzichtig begon ik me te verheugen,

geen beter feest dan een feest waar live muziek gemaakt wordt.

* * *

Of ik een lied wilde schrijven, vroeg Jetta me, bij
voorkeur op een eenvoudige melodie die iedereen
kende. Gretig nam ik het verzoek aan. Ik betreur
het dat ik mijn rijmdrift niet meer jaarlijks op de
sinterklaasgedichten kan botvieren, onze volwas-
sen kinderen vieren het feest niet, of met vrienden.
Elk jaar vermannen wij ons en roepen dat het niet
geeft, echt helemaal niet. We hebben ervan geno-
ten zolang het duurde, maar voor alles is een tijd.
Knarsetandend schortten we ons verlangen op, en
hopen op kleinkinderen.

Een lied voor Justus, over Justus. Op het moment dat ik ervoor ging zitten, besefte ik hoe weinig
ik van hem wist. Althans geen gênante feiten waar
ik grappen over kon maken. Geen anekdotes die
hem zouden doen blozen. Geen stuitende eigen-
schap, geschikt voor het refrein, die iedereen onmiddellijk zou herkennen en luider doen zingen.
Justus heeft veel van zijn vader gehouden, een cel-
list over wie hij nog altijd met liefde spreekt. Toen
ik Justus leerde kennen, was zijn vader kort tevo-

ren gestorven. Ons eerste gesprek ging over hem. Zelf is Justus een toegewijde, misschien wat al te beschermende vader. De zoon die hij was, de vader die hij is, van beiden zou ik pas iets gaan begrijpen nadat ik de brief gelezen had die ik daags na zijn verjaardag ontving. Maar zover was het nog niet, ik wist nog van niks.

Justus is goed gezelschap maar geen groot prater. Heel anders dan de spraakwaterval aan wie hij me deed denken toen ik hem voor het eerst ontmoette. Frappant, net Pierre Jansen, dacht ik, maar dan met krullen. Niet iedereen zal die naam iets zeggen, maar Jansen was in de jaren zestig een bekende televisiepersoonlijkheid. Geen knappe, wel een innemende man, die als hij 'de mensen thuis' uitlegde wat er zo schitterend was aan een Vermeer of Van Gogh, geen moment stilstond. Lange armen had hij, en expressieve grote handen. Als hij die uitstrekte, bewoog heel zijn tengere lichaam mee, van voor naar achteren, van links naar rechts, alsof de figuren van het doek af dansten en hij ze probeerde te vangen.

Nu krullen Justus' haren niet meer en ze zijn met grijs doorschoten. Ook hij heeft iets innemends, maar hij lijkt het zich niet bewust of is te verlegen om er gebruik van te maken. Of is het juist het schuwe dat hem zo beminnelijk maakt? Hij kleedt zich met zorg, maar draagt vrijwel altijd zwarte en nachtblauwe jasjes, met donkere overhemden die hem nog magerder maken dan hij al is. Hij kan er zo mee naar een begrafenis, aan een groeve staan. Geen lichtgevende man, tot hij met zijn accordeon het podium oploopt en het licht zoekt. Geen verleider, geen flirt, geen versierder, over scheve schaatsen kon ik evenmin uitweiden.

* * *

Geen moment dacht ik aan een geheim. Nooit had ik Justus gezien als iemand die zich liever niet op een woordenstroom laat meevoeren, omdat die hem ergens brengen kan waar hij niet zijn wil.

* * *

Toen mijn kladblok al te lang leeg bleef, belde ik Jetta. Waar moest mijn lied over gaan, behalve over ouder worden maar dat worden we allemaal. Dat was niet speciaal des Justus. 'Zijn geboortedatum,' antwoordde ze, 'eerst hij op de derde en twee dagen later Sinterklaas. Voor een kind is dat niet leuk, dat kun je je wel voorstellen.'

Dat kon ik, want mijn verjaardag valt precies tussen Sinterklaas en Kerstmis. Als ik het voor het zeggen had gehad, was ik ook in een andere maand geboren. Terwijl ze mij in vertrouwen nam over nog weer een andere verrassing voor haar man, schreef ik de eerste zin alvast op.

'Ben je er nog?' vroeg ze.

'Ja, ik luister.'

'Nou, de kostuums zijn al gehuurd. Stijn en Koen halen ze zelf af, en ze mogen zich bij de buren verkleden.'

De man die Sinterklaas zou spelen, Stijn, kende ik al jaren, zijn knecht alleen van naam. Koen had sinds enige tijd accordeonles van Justus en wilde het lied wel begeleiden.

'Maar je houdt je mond, hè. Justus mag het absoluut niet weten.'

'Uiteraard, ik zwijg als het graf.'

Toen ik ophing, stond het eerste couplet op papier:

> Zie het grijs al in zijn manen,
> Kappers staakt uw wild geraas,
> Justus' zestigste is gekomen,
> Concurreert met Sinterklaas.

Deze verjaardag was niet bepaald een surpriseparty, maar het optreden van Sint en Piet was dat wel. Een surpriseact binnen een verjaarsfeest waarvan alle elementen – de gasten, het eten, het optreden van Batista – uitvoerig met de jarige waren besproken. Ik grinnikte bij het vooruitzicht hoe Justus zou reageren en zon op een mogelijkheid de act van Sint en Piet zo uit te breiden dat het lied erbij aansloot. Eerst de act en dan het lied, of andersom, dat liet ik nog even in het midden.

Ik houd van verrassingen waar veel mensen bij betrokken zijn, zolang ik maar niet zelf het slachtoffer ben. De meest hilarische surpriseparty waarvan ik getuige ben geweest, zag ik in een theater, in een toneelstuk van Alan Ayckbourn. Het is avond, na zessen en het toneel stroomt vol feestgangers: vrienden en collega's van de jarige, die zijn opwachting nog moet maken. Op een teken van de gastvrouw, gekleed in sexy cocktailjurk, verstoppen de feestgangers zich achter stoelen en banken, onder het berenvel voor de open haard, tussen de gordijnen, ja zelfs achter een kamerplant. Als we even later een sleutel in de voordeur horen omdraaien, dempt de gastvrouw gauw wat lichten.

Dan verschijnt de jarige ten tonele. Als hij zijn vrouw ziet in haar oogverblindende jurkje, raakt hij zo opgewonden dat hij naar boven stormt. Halverwege de trap begint hij zich al uit te kleden. Intussen roept hij naar beneden dat de Viking in aantocht is. Het is alweer veel te lang geleden dat de Viking een vrouwtje heeft verslonden. Even mijn knuppel pakken en mijn helm... Ja, ik heb hem. Pas maar op, ik kom je haaalen... Terwijl hij met zijn vuisten bronstig op zijn borstkas trommelt, daalt hij met drie treden tegelijk de trap weer af. Op dat moment gaan alle lichten in de kamer aan en komen de gasten uit hun schuilplaatsen tevoorschijn. 'Verrassing!' klinkt het als uit één mond. En daar staat de jarige, spiernaakte Viking, getooid met een heuse Vikinghelm uit een feestwinkel, een leren badmuts met twee wijduitstaande hoorns. Hij slaat een hand voor de ogen, de andere voor zijn kruis, en krimpt ineen.

* * *

De herinnering aan die scène zette me niet aan het denken. Geen moment vroeg ik me af of Justus onze verrassing wel op prijs zou stellen. Het lied schreef ik in nog geen uur tijd, tijdens een treinreis. Het werd niet half zo geestig als ik hoopte, maar meer zat er niet in. Hoe ging dat Duitse gezegde ook alweer: 'Was sich liebt, das neckt sich'?

Maar veel verder dan een plaagstootje durfde ik in dit geval toch niet te gaan. Over een zachtmoedig mens was het slecht grappen maken. De draak steken met iets onvasts, onzekers in zijn gedrag, dat me soms trof als ik hem een poos niet had gezien, leek me ongepast. Ik beurde mezelf op: als alle gasten mijn tekst uit volle borst meezongen, had het gebaar hopelijk het gewenste effect. Toen ik me Justus op zijn zestigste verjaardag voorstelde – omringd door familie en vrienden, slierten gekleurde serpentine als een warrige ketting om hals en schouders – glimlachte hij van oor tot oor.

* * *

Bij het verheugen op een feest, rijst vroeg of laat de vraag: wat doe ik aan? Al een paar keer had ik mijn handen door mijn kast laten dwalen. Het gebaar, de hand op de schouder van de jurk, leek wel zo vriendschappelijk, maar het ging er hard aan toe. De een was te zwart, de ander te saai, te kort... De rode jersey dan misschien? Even passen, te nauw, dat dacht ik al. Geen beter excuus voor een nieuwe jurk dan een jarige vriend. In wezen kocht ik de jurk niet voor mezelf, maar voor Justus. Door me in het nieuw te steken liet ik zien hoe belangrijk hij voor me was.

Na lang zoeken zag ik in een winkel die sinds jaar en dag het predicaat Hofleverancier draagt, een zijden overhemdjurk met panterprint hangen. In mijn maat en fors afgeprijsd, een restant van de nazomercollectie. Volgens de verkoopster, die je bij Hofleveranciers nog met raad en daad bijstaan, kon de panter nog heel goed op een namiddagfeestje begin december. Tenzij het vroor. Past u hem anders even, stelde ze precies op het juiste moment voor.

De overhemdjurk is mijn favoriete dracht, zijde draag ik graag, maar ik aarzelde over de print. Mijn moeder heeft me geleerd dat stoffen en dessins tekens geven. Wol geeft een ander teken dan leer, een roofdierprint een ander teken dan een bloem of een ruit. Ben ik nog een pantervrouw, vroeg ik me af, zo ik er ooit een geweest ben. Kan zo'n aanvallige print nog wel? Juist, juist, zei ik tegen mijn twijfelende spiegelbeeld. Dat Justus zestig wordt, betekent toch niet dat wij als oude muizen op zijn feest moeten verschijnen? In de veronderstelling dat ik de jurk nog vaak zou dragen, hakte ik de knoop door, maar na die verjaardag heb ik hem nooit meer aangehad.

* * *

In de auto op weg naar het feest las ik mijn man de tekst voor, een paar maal zodat in elk geval twee mensen het lied zonder haperen mee konden zingen.

'En in de laatste zinnen gooien we allemaal een rol serpentine naar Justus.'

'In je tekst staat: confetti.'

'Ser-pen-ti-ne, te veel let-ter-gre-pen. Serpentine gooit ook zo lekker. En heb jij wel eens een kamer opgeruimd waar met confetti is gestrooid? Dat kun je zelfs je ergste vijand niet aandoen.'

Ik borg de tekst weer op in de dikke map met kopieën, in de boodschappentas aan mijn voeten. In plaats van Otto te vragen wat hij van mijn liedtekst vond – ik wilde het horen maar niet dat hij loog – knoopte ik mijn jas open en streek over mijn jurk.

'Vind je hem echt leuk?' vroeg ik, met een blik naar opzij. 'Niet te...?'

Hij haalde zijn hand van het stuur en legde hem op mijn knie.

Ik glimlachte en zette de radio aan, in de hoop dat er iets *soulfull* zwarts en swingends zou klinken. Tom Jones, mocht ook: *It's so unusual to be loved by anyone...* Pa dapa dapa dam... We waren samen op weg naar een feestje en we kregen er steeds meer zin in.

Ik had het zo getimed dat wij niet als eersten aanbelden, want na binnenkomst moest ik als de wieweerga zien te verdwijnen. Justus deed open. Er lagen al zoveel winterjassen en sjaals op de trap dat ik de boodschappentas er ongezien onder kon moffelen. Hij had niets in de gaten. We feliciteerden hem en overhandigden ons cadeau. We maakten de ronde, drukten handen, zoenden links en rechts en bewonderden elkaars kleding. Ik was niet de enige, vrijwel iedereen had zijn best gedaan. Jetta zag er prachtig uit in smaragdgroene zij, het dikke haar opgestoken met glinsterende kammetjes. Vlug nam ze me nog even apart – voorpret, voorpret – over het tijdstip dat Sint en Piet dienden te verschijnen. Ik sloop het huis weer uit, naar het buurhuis waar Stijn en Koen zich in hun pakken hesen.

* * *

Het feest was nu toch echt begonnen, maar ik was me nog steeds aan het verheugen. Diep in mijn hart vond ik dit geheimzinnige gedoe leuker dan het feest zelf. Maar was dat niet altijd al zo? Al vanaf mijn eerste feest, toen ik een jaar of vijftien was, merkte ik dat ik zolang er nog niet gedanst werd, het liefst iets deed: de pick-up in de gaten houden om de plaatjes te verwisselen, met kaas en worst rondgaan, achter de bar staan. Het was zoveel makkelijker dan gewoon gast zijn. Geen gedachte hoeven wijden aan wat ik met mijn lange armen moest, geen gesprek op gang brengen of gaande houden. Stond ik achter de bar, dan kwamen de jongens vanzelf naar me toe, voor bier of voor sherry voor hun meisje. En als ik zelf wilde dansen of een jongen dieper in de ogen kijken, was er altijd wel iemand bereid mijn taak over te nemen.

Sint en Piet hadden zich al verkleed en werden geschminkt door de vrouw van Stijn. De geur van niet helemaal schone pakken en schmink uit een doosje van vorig jaar riep dierbare herinneringen in me op. Hoe vaak had ik niet, 's ochtends in alle vroegte, in vreemde huizen en flats onbekende mannen tot Piet geschminkt. Pieten die me dan later op het schoolplein een hand pepernoten toestopten. 'Gaat het?' vroeg ik aan Stijns vrouw die zich met een rode lippenstift over Zwarte Piet heen boog. Mijn handen jeukten, ik hoopte dat ze me zou vragen het van haar over te nemen. Maar het ging haar heel wel af, Piet was bijna klaar en strekte zijn hand al uit naar zijn accordeon om nog even het lied door te nemen.

Ik keek hem verschrikt aan: wat speelde hij nu?

'Koen!' zei Stijn vermoeid, 'zie de maan, niet hoor de wind!'

'Echt waar?'

Met een verwilderde blik in zijn ogen probeerde Koen de akkoorden van het afgesproken lied te vinden.

'Lukt dat nog, denk je?' vroeg ik, en ik probeerde me te herinneren wat Jetta had gezegd. Hoeveel maanden had Koen nu inmiddels les?

'Ach... ik improviseer wel wat.'

Nu was het me wel vaker opgevallen dat bleke Hollanders, eenmaal gekleed in paarse pofbroek en zwart geschminkt, zich vanzelf anders gaan gedragen. Brutaler, losser. *Summertime and the living is easy.* Ik schoot in de lach, en Stijn ook, en ook zijn vrouw moest zo onbedaarlijk lachen dat een borstelige witte aanplakwenkbrauw op zijn slaap terechtkwam.

Ik geloof zelfs dat een van ons, niet wetend welk misverstand ons boven het hoofd hing, nog opmerkte dat er toch wel iets fout mocht gaan op zo'n strak geregisseerde avond. Gevieren spraken we af om niets tegen Jetta te zeggen. Zij mocht zich geen zorgen maken, zij had al genoeg gesjouwd, gekookt, bedisseld, en wie weet slaagde Koen er nog in het lied aanvaardbaar te begeleiden.

Ik keek op mijn horloge, vlug namen we de af-
spraken voor de laatste maal door. Zij bleven hier,
ik moest terug naar het huis waar het feest nu in
volle gang was. Het was bijna zes uur, dadelijk begon het optreden van Mateus Emilio Batista. Toen
ik het huis verliet, hoorde ik Koen nog een poging
wagen. Zijn accordeon klonk als een oude, astma-
tische man die uit de krochten van zijn geheugen
een deuntje probeerde op te diepen.

* * *

De Braziliaan Batista betrad het podium en iedereen viel stil nog voor hij een noot gespeeld had. Een
mooie man, met fijne trekken, een lichtvangende
engelachtige verschijning, ik kon mijn ogen niet van
hem afhouden. Alles aan hem glansde, het gewaad
dat hij aanhad, zijn halflange krullen, de vier stokken in zijn handen, zijn ogen. Als een toreador de
stier, zo daagde hij zijn instrument uit. Eén pas naar
voren, één naar achteren; aanvallen, terugdeinzen
verleiden, alsof daar een levend, ademend wezen
stond waarvan hij de reactie niet kon voorspellen
Ik wist niet wat ik zag en niet wat ik hoorde. Ik
had wel vaker een steeldrum horen bespelen, maar
nooit iemand met de vreemde, doorschijnende on-

derwaterklank van dit instrument klassieke muziek horen vertolken.

Justus en Jetta stonden vooraan, zichtbaar gelukkig dat 'hun' muzikant de sterren van de hemel speelde. Ik stond achteraan, iets opzij tegen een muur geleund, de tas met teksten en serpentine binnen handbereik. Maar terwijl ik luisterde, dwaalde ik in gedachten toch weer af naar wat hierna ging gebeuren. Hoe zou Justus reageren, op de act, op het lied? In mijn fantasie viel hij me na afloop dankbaar om de hals.

Batista kreeg een gul applaus en boog vanaf het kleine podium vol gratie naar het publiek. Later, beloofde hij in het Frans, zou hij nog een keer voor ons spelen, met Justus samen. Voorzichtig werden zijn instrumenten opzijgezet. Justus werd naar de belendende kamer geloodst en toen hij daar was, tilden Jetta en haar dochters een ouderwetse pluchen fauteuil op het podium. De jarige werd van zoveel kanten door zijn gasten over de muziek van Batista aangesproken dat hij de voorbereidingen niet opmerkte.

Luid gebel, en gebons op de deur. Al die tijd had ik erop gewacht, maar toen het zover was, schrok ik toch. Oude schrik, kinderschrik. In de gang klonk gestommel, alsof er een paard doorheen moest. Sint en Piet maakten hun entree, baanden zich wuivend een weg door de verjaardagsgasten. Terwijl zij zich naar het podium begaven, gaf ik de helft van de teksten en de rollen serpentine aan Otto. Pas na een teken van mij zou hij de teksten uitdelen, geen moment te vroeg mocht Justus ze zien.

Sinterklaas nam plaats in de fauteuil en gaf zijn staf aan Piet. Justus stond nu weer vooraan, bij het podium. Stijn sprak een octaaf lager dan normaal en zo deftig dat zijn stem onherkenbaar was. Hij zei dat hij reuze blij was hier te mogen zijn. Weliswaar niet geïnviteerd, maar toch zo vrij geweest op deze heuglijke dag te verschijnen, 'om iets goed te maken'.

'Wat dan?' vroeg Justus defensief.

Hij speelde het spel niet mee, wist zich met zijn houding geen raad. Kom op, man, dacht ik, doe dan tenminste alsof je je amuseert, dan ga je het misschien vanzelf leuk vinden.

Stijn gaf geen krimp en verzocht Justus nu op het podium te komen. Hij deed wat hem werd gevraagd, maar meer ook niet. Zo ver mogelijk bleef hij bij de stoel vandaan.

'Kom gerust dichterbij,' sprak de Sint.

Justus verroerde zich niet.

Stijn schraapte zijn keel en schutterde wat. Hij

vroeg zijn staf weer terug en omklemde het rekwisiet alsof het de mast van een schip in woelig
water was. Ik had met hem te doen, en ook met
Koen en met mezelf. Hadden we daar al die moeite
voor gedaan, pakken en pruiken gehuurd, eindeloze telefonades gepleegd? Het lukte Justus maar
niet zich te ontspannen. Zo ongemakkelijk als hij
daar stond, op twee meter afstand van de Sint, de
armen stijf langs het lichaam, de vuisten gebald. Ik
kreeg het er benauwd van, alsof ik zelf weer kind
was en bij Sinterklaas geroepen werd.

Stijn opende een groot dik boek en tuurde naar
zijn aantekeningen. Toen hij eenmaal van wal stak, 25
herstelde hij zich, langzaam raakte hij op dreef.
Hier en daar klonk gegrinnik, steeds vaker, steeds
luider. Maar zijn toespraak over de tragiek van de
mens die op 3 december verjaart, leek langs Justus
heen te gaan. Er kon geen lachje af. Geërgerd beet
ik op mijn lip. Doe het dan voor Stijn, Justus, dit
is niet het moment om te pruilen. Nogmaals vroeg
Stijn Justus dichterbij te komen: 'Je hoeft niet bang
te zijn.'

Vriendelijker, vaderlijker kon hij het niet zeggen. Toen Justus hem dan eindelijk schoorvoetend
genaderd was en schuin naast de fauteuil stilstond,
sloeg Sint zijn armen om Justus' middel en trok

hem op schoot. Gelach, applaus. Hondje springt door brandende hoepel. Ik slikte. Had Justus zijn rug eerst half naar ons toegekeerd, nu keek ik hem recht in het gezicht. Vuurrood zag hij, alsof hij hoge koorts had, en zijn voorhoofd glom van het zweet. Wat ging er in hem om? Wat was er in hem gevaren? Hij zat op schoot bij een vriend, vlak naast hem stond zijn hartsvriend. Iedereen in deze ruimte was hem goedgezind, maar hij keek alsof hij omringd was door louter vijanden.

Geschrokken zocht ik Jetta's blik. Dit optreden was haar idee. Had zij niet kunnen voorzien dat haar man dit soort dingen haatte? Bescheiden als hij was, wilde hij waarschijnlijk een bescheiden feest, zonder verrassingen. Kijk hem nu toch, hij lachte als een boer met kiespijn. Overal was over nagedacht, tot in detail, behalve over de vraag of Justus dit wel wilde. Wat waren we aan het doen? Voor wie?

Sint stelde Justus een paar vragen, die hij toonloos beantwoordde.

'Ja.'

'Nee.'

'Goed.'

Zoals hij daar zat op de schoot van Stijn, leek hij wel een buikspreekpop. Knipperloze blik, starre grijns. Algauw liet Stijn hem gaan, daarna kwam hij zelf overeind, veel te kwiek voor de oude man die hij voorwendde te zijn. Alvorens Sint weer vertrok, sprak hij, wilde hij zijn belangrijkste symbolen aan Justus afstaan. Hij zette zijn mijter af en overhandigde hem aan Koen, die op zijn tenen moest staan om hem op het hoofd van Justus te drukken. Vooruit, nu de staf, zingen en wegwezen, dacht ik en ik veegde mijn klamme handen af aan mijn jurk.

Maar zonder mijn medeweten hadden Sint en Piet hun act nog iets uitgebreid. Of bedachten ze het ter plekke, in een poging te redden wat er te redden viel? Zoals je soms verstrikt in een leugen, een uitweg zoekt in nog vreemdere, ongeloofwaardiger verzinsels. Terwijl Sint zijn mantel afdeed, knoopte Piet het jasje van Justus los. Galant hielp hij hem eruit. Justus liet het gelaten gebeuren, als een jongetje dat nette kleren passen moet. Tot overmaat van ramp begon Koen nu ook aan de knoopjes van Justus' overhemd te peuteren. O, laten ze ophouden, dit is niet grappig, kijk dan, hij lijdt... Op het moment dat ik dit dacht of misschien wel binnensmonds zei, duwde Justus de hand van Koen weg en riep fel dat hij dit niet wilde. Zijn 'Nee' schalde door de ruimte.

Er viel een stilte. De mijter lag op de vloer. Had

27

Justus die afgerukt of was hij van zijn hoofd geval-
len?

Ik probeerde de blik van Stijn te vangen, die zo
zonder mantel en mijter, in zijn witte onderkleed
met halflange pruik en baard, een wel heel vreemde verschijning was. Niet eerbiedwaardig, eerder
dwaas. Zot waren we, hij, Koen en ik, dat we ook
maar een moment hadden kunnen denken dat dit
leuk was.

'Het lied!' siste ik.

Een betere manier om de spanning te doorbre-
ken, het misverstand te beëindigen, wist ik niet.
'Zingen, nu!'

* * *

Met zijn accordeon, vaak vergezeld door een vriend
met een welluidende stem, luistert Justus al jaren
onze feesten op. Hij speelde toen ik veertig werd
en op mijn mans vijftigste; toen we vierden dat we
al heel lang getrouwd waren, en toen mijn vader
tachtig werd. Meestal is het feest een klein uur op
gang als Justus zijn accordeon tevoorschijn haalt en
begint te spelen. 'Het dorp' van Wim Sonneveld en
liedjes van Pisuisse en Drs. P., en soms een eigen
compositie. Zijn optreden is de ziel van ieder feest

Toen ik dat lied schreef, dacht ik: nu kan ik einde-lijk iets terugdoen.

* * *

Maar Stijn was nog niet aan zingen toe, Stijn had iets anders in zijn hoofd. Ik keek strak naar de vloer. IJdeltuit... Kort, we zouden het vooral kort houden. Uitvoerig begon hij Justus te prijzen, te coachen leek het wel als in een workshop waarin de deelnemers meer lef, meer zelfvertrouwen be-loofd wordt. 'Goed zo, jongen. Bijt maar van je af. Het gaat om jou vandaag. Zeg het maar: "Ik ben belangrijk!"'

'Ik ben belangrijk,' mompelde Justus.

'Harder, zodat iedereen het kan horen: "Ik ben belangrijk."'

Het bleef stil.

'Het lied!' siste ik weer.

Eindelijk knikte Stijn nu naar mij, en ik op mijn beurt naar Otto. Tekst en serpentine werden haas-tig uitgedeeld. Sint greep de arm van Justus beet en hief hem omhoog, het overwinnaarsgebaar in de boksring. Ja, zo stond hij daar op het podium, als een uitgeputte bokser die niet lachen kon omdat het bit nog in zijn mond zat.

Koen pakte zijn accordeon, probeerde wat te spelen en gaf het op.

'Piet beetje dom. Niet goed opgelet.'

Hij liep naar de rand van het podium, en op zijn teken zetten alle gasten het lied in.

> Zie het grijs al in zijn manen,
> Kappers staakt uw wild geraas,
> Justus' zestigste is gekomen,
> Concurreert met Sinterklaas.
>
> Vol verwarring is zijn hart,
> Nu eens vreugde dan weer smart,
> Vol verwarring is zijn hart,
> Prepensioen is nu gestart.
>
> Zit de jicht al in zijn botten,
> Artsen staakt uw wild geraas,
> Justus' zestigste is gekomen,
> Hij is al bijna Sinterklaas.
>
> Voelt zich soms ietwat benard,
> Want de tijd gaat nu zo hard.
> Voelt zich soms ietwat benard
> En roept stoer: dit is een start!

Nog steeds, tegen beter weten in, hoopte ik dat het goed zou komen. Dat er iets hersteld kon worden. Justus was alleen maar uit het veld geslagen door zoveel bombarie. Dit, dit wat er nu gebeurde, moest hem toch vertrouwd voorkomen? Hoe vaak had hij niet een lied voor een jarige begeleid? In zijn vriendenkring, die uit verschillende kringen bestond die hooguit één, twee keer per jaar op de verjaardag van Jetta, Justus of de dochters, deze vriendenkring vormden, was het zo langzamerhand traditie dat wij elkaar toezongen. Bezongen dat we elkaar al zo lang kenden, daarom een lied, speciaal voor jou.

Ons gezang leek niet tot Justus door te dringen. Vond ik het eerst een tekortkoming dat het lied aan de korte kant was, nu was ik opgelucht dat het zo snel afgelopen was. 'Vol confetti is ons hart...' Nog één keer het refrein, en dan was het klaar. *Allen gooien nu hun serpentine richting Justus*, stond er boven het laatste couplet. Ik had het er zelf bij gezet, maar nu was ik bijna te laat. Gehaast peuterde ik het uiteinde los en gooide de rol in de richting van het podium. Tevergeefs, de serpentine bleef om de rol zitten, als oud plakband.

Ik keek om me heen of iemand soms meer geluk had, maar ook de anderen worstelden ermee. Her en der lagen er rollen op de vloer, op tafeltjes tussen bakjes met nootjes, op het podium, onder de pluchen zetel.

Verbeten rukte ik een sliert los en liep ermee naar Justus, die juist van het podium af stapte. Hij wankelde. Als ik hem niet zo-even kaarsrecht naast Stijn had zien staan, zou ik denken dat hij dronken was. Toen ik de serpentine om zijn hals legde en hem op beide wangen zoende, voelde ik hoe hij mij net niet van zich afduwde.

Wat is er, Justus? Wat is er gebeurd? Wat is er met je aan de hand? wilde ik vragen, maar het leek me niet het juiste moment. Nu ik dicht bij hem stond, kon ik het niet langer ontkennen. Hij keek alsof hij in het nauw gedreven was, door een roof-dier, een panter. Hij rook niet naar drank maar naar angst. Beschaamd liet ik hem los en wendde me af.

2

Het is halfdrie. De rustige ademhaling van Jetta geeft de nachtelijke stilte een vertrouwd en vredig karakter. Ik prijs me gelukkig met haar en mijn twee dochters, die het al twintig jaar met mij uithouden, met mij en mijn wisselende stemmingen hebben leren leven. Ik zou het ze geloof ik niet nadoen. Flarden geluid van een sirene wervelen de daken van de huizen over. Een ziekenwagen raast over de Overtoom, op weg naar een pechvogel. Ben altijd blij dat ik het niet ben, in het besef dat ik ooit zelf aan de beurt zal zijn. Nog niet, niet nu, eerst zestig worden, denk ik glimlachend, en draai me om.

Een ketting ratelt onverhoeds langs een metalen rek. Het geluid dat je veroorzaakt wanneer je gedachteloos naar de overkant staart, terwijl je je fiets op slot zet. Ik ben opgelucht dat het niet een van mijn dochters is. Ze logeren beiden bij vriendinnen. Ik zou hun specifieke geluidspatroon ook direct herkennen. De oudste van zesentwintig altijd in haast, gevangen in het moment, de blik naar beneden. De jongste achttien, bijna te relaxed.

* * *

In een verrassende willekeur keren herinneringen terug, beelden die zich in het nachtelijk duister veilig genoeg wanen om bekeken te worden. Zo denk ik terug aan een eerdere verjaardag: zojuist ontwaakt in een leeg bed hoor ik zingende kinderstemmen de trap op komen, een processie met bloemen en cadeaus. Samen op bed alles uitpakken. Dan snel douchen en aankleden, brood smeren en mijn jongste dochter naar school brengen. Toch weer te laat de deur uit. In amazonezit voorop, haar blonde krullen in de wind. Als ik haar hoofd zoen, vangt mijn neus de geur van shampoo, vermengd met die van huid en haar. Zoals alleen zij kan ruiken.

We zeggen het hoognodige tegen elkaar, dat hebben we gemeen. Wachten tot het werkelijk moet.

Niet eerder. Liever later. Wanneer we zwijgen, is het zingende geluid van mijn banden over het asfalt te horen. Als een licht zwevend orgelpunt, waaromheen zich klanken van fietsbellen, trams, brommers, kinderstemmen en claxonnerende taxi's in een immer verrassende cluster bewegen.

Op het schoolplein groeten we kinderen en ouders. Hoe vertrouwd kun je je tussen mensen voelen, terwijl je weinig of niets van elkaar weet.

Ik mag haar nog naar binnen brengen. Samen haar jas aan de kapstok hangen. Na het vaste ritueel van handen schudden met meester Glimlach komt het moment van loslaten. Haar achterlaten kost mij sinds de laatste zomervakantie ineens moeite. Iets wat me elke dag opnieuw verrast, en wat ik maar niet kan duiden, hooguit als een onbestemde angst dat haar iets zal overkomen. En zij voelt dat. En kan mij daarom weer niet laten gaan. Het is alsof ik in jaren met haar meegroei, mijn eigen ontwikkeling nog eens overdoe. En iets van mijzelf onder ogen moet zien nu zij acht jaar is. Iets wat helemaal niet van haar is. Wat niet eens van haar mag zijn.

Wanneer ik haar 's middags van school haal, ben ik opgelucht als ze blij naar buiten komt en onze ogen elkaar vinden. We gaan te voet de weg naar huis terug. Hoog gezeten op mijn schouders, haar handen in mijn haar, mijn handen stevig om haar enkels.

Haar blik is naar boven gericht. Op zoek naar een verder weg. Zij ziet de glazenwasser op zijn ladder, op vier hoog balancerend op één been, een zwenkende hijskraan aan de horizon, die een nieuw gebouw elke dag een stukje verder uit de grond lijkt te trekken. Vliegtuigen die oplichtende en soms elkaar kruisende condenssporen trekken op weg naar hun bestemming. Ze volgt ze. Wil weten hoe het elders is. Als een kleine wereldburger die droomt van haar toekomstige ontdekkingsreizen en tegelijkertijd bevreesd is voor de weidsheid van haar interesse. Ik bepaal ondertussen de koers op aarde, laverend tussen het verkeer. Zo houden we elkaar in evenwicht.

* * *

De scherpte waarmee je op de grens van waken en slapen kunt denken, is overdag nooit te evenaren. Ik kan er intens naar verlangen. Wakker worden in glasheldere bespiegelingen. Nadenken over wat dromen kunnen betekenen, waarom ze blijven terugkeren.

Het kinderlijk jarig voelen, dat ik me herinner

van heel vroeger, heeft zich nu van mij meester gemaakt. En zorgt dat ik de slaap niet meer kan vatten. Met mijn armen onder mijn hoofd gevouwen luister ik naar mijn hartslag en probeer ik mijn ademhaling te kalmeren. Een ritueel dat ik al vanaf mijn achtste talloze malen heb herhaald. Een houding waarmee ik me zo ontspannen mogelijk schrap zet tegen wat gaat komen, mezelf wapen tegen iets waar ik bang voor ben zonder het te kunnen benoemen. Ik maak me vooral zorgen dat ik nu te weinig slaap want dan ben ik er vandaag maar half bij.

* * *

Mijn vaders zestigste verjaardag moet de komende februari alweer zesendertig jaar geleden zijn. Bij mijn zoektocht naar herinneringen aan die dag laat mijn geheugen me aanvankelijk in de steek. Waarschijnlijk omdat zijn zestigste verjaardag in weinig tot niets verschilde van de twintig verjaardagen ervoor. Ofschoon mijn ouders op dat moment al meer dan dertien jaar in Stevensbergen woonden, werden de verjaardagen van beiden steevast bezocht door een vaste groep kennissen en vrienden die zij aan hun levensperiode in Rijnsdam hadden overgehouden. Met geen van hen was het zonder meer prettig toeven. En dat vond niet alleen ik.

Ongetwijfeld vond deze traditie van elkaars verjaardagen bezoeken haar oorsprong in wederzijdse sympathie en vriendschap. Maar niemand was erin geslaagd om met elkaars wel en wee mee te groeien. Naarmate de jaren verstreken, raakten ze meer en meer van elkaar vervreemd. Daardoor ontstonden irritaties over kleine verschillen van mening en lieten mijn ouders zich vaak kritisch en soms zelfs ronduit negatief uit over de aanwezigen, met name voor en na afloop van de verjaardagen. Zoals ik er nu aan terugdenk, was het nauwelijks de noemer feest waard. Een verplicht partijtje, met vrienden waar ze klaarblijkelijk niet meer van af konden komen, die ze niet durfden níét meer uit te nodigen. Daar is het ontstaan, het besef dat het vreselijk moest zijn om zestig te worden. En ook om vijftig te worden, want wat was het verschil? Wat is er veranderd? Wat heb ik anders gedaan, dat ik het zestig worden zo anders beleef, het meer ervaar als een bevrijding, een overwinning op wat is geweest.

In mijn kinderjaren werd mijn verjaardag overschaduwd door de bijna gelijktijdige verjaardag van Sint. De spanning van het naderend sinterklaasfeest ging vergezeld van een knagende bezorgdheid hoe dit jaar mijn eigen verjaardag zou zijn. Iedereen in huis was dan in de ban van kopen, verstoppen, van surprises die nog beter en mooier moesten zijn dan het jaar ervoor. Er heerste een koortsachtige opwinding van inpakken en dichten. Dat waren tegenstrijdige spanningen in één buik.

Naarmate ik ouder werd, groeide de vrees voor 'dan heeft-ie in ieder geval wat'-cadeautjes. Een kinderachtige pijl en boog met zuignapjes op je tiende, het zoveelste kleur- of knutselboek op je elfde, of weer een doos van die vette wascokrijtjes waarvan er al drie ongeopend op mijn kamer stonden. Het minst erg vond ik de veel geuite belofte 'Je cadeautje komt later'. Dat had én een goedbedoelde intentie, én van uitstel kwam afstel, dus kreeg ik gewoon niks, dat was tenminste duidelijk. Heel soms was er ineens een boek. *Biggles in de Oriënt*, of *De zeven kristallen bollen* uit de Kuifje-reeks.

* * *

Het mooie van een droom is de voorspelbaar juiste timing, de perfecte filmische montage, de altijd verrassende personages en hun opkomsten. En dat in kleur.

Ik moet een jaar of twaalf zijn. Met mijn neus tegen het glas van het eetkamerraam geniet ik van een besneeuwde Esdoornlaan als ik een zwarte Buick zie stoppen, zeker acht meter lang. Door mijn moeder, die schuin achter mij staat, half spottend maar met nauwelijks verholen jaloezie een 'vliegdekmoederschip' genoemd. Aan de voorzijde een motorkap zo lang als een tafel, waar je met z'n zessen aan zou kunnen eten. Veel tot in de finesses opgepoetst chroom. Achterop dubbele achterlichten in opstaande gestroomlijnde staartvinnen. 'Ome Jan' Draaier stapt uit, doet demonstratief zijn auto níet op slot. De achteringang is hem te min, er moet worden aangebeld, dus loopt hij richting voordeur, zijn vrouw Ina braaf achter hem aan. Dat hij het toch weer de moeite waard vindt om mijn ouders met een verjaardagsbezoek te vereren verplicht mij bij voorbaat tot ongemakkelijke dankbaarheid.

Hij heeft zijn auto zó naast het huis geparkeerd dat er aan de voor- en achterzijde nét geen ruimte voor een ander overblijft. Als presentje is er altijd en eeuwig een kalender met pontificaal de naam van zijn bedrijf erboven. Hij rookt onafgebroken dikke sigaren, die hij altijd zelf meebrengt. Een verstikkende blauwe walm maakt dat na verloop van luttele minuten de aanwezigen aan de overkant van de kamer nauwelijks meer zichtbaar zijn.

Als ik hem met opzet als laatste appeltaart aanbied, liggen er nog twee stukken op het dienblad. Ik manoeuvreer zo dat het grootste stuk aan mijn kant ligt, en hij fatsoenshalve het veel kleinere stuk moet nemen. Hij bestudeert mijn aanbod, kijkt me vorsend aan, neemt een ferme haal aan zijn sigaar, blaast naar boven uit en zwijgt. Ik leg zo onopvallend mogelijk mijn duim op het grote stuk taart. Dan onderneemt hij een verrassingsactie en trekt mij het blad uit handen. Hij draait het honderdtachtig graden en zegt: 'Neem jij maar eerst.' Knarsetandend neem ik het kleine stuk. Met een triomfantelijke grijns neemt hij een hap en zegt met volle mond: 'Jij bent goed opgevoed, zeg! Jij zult het ver schoppen.'

* * *

Met het hoognodige verzameld in plastic tassen, woonde ik tijdelijk in een ruimte van nog geen vijf vierkante meter. Een kleedkamer met een ligbank, in hartje Amsterdam. Ik kon niet weten dat deze ruimte voor de komende anderhalf jaar mijn onderkomen zou blijven, en hoopte op een spoedige terugkeer naar mijn mooie lichte etage die ik wegens een onverwachte renovatie had moeten verlaten. Ik sliep onrustig, altijd met een stuk steigerpijp binnen handbereik. Als ik me nu probeer voor te stellen wat ik ermee had kunnen uitrichten mocht er iemand binnen hebben kunnen dringen, blijft het zwart voor mijn ogen. Er was niet eens voldoende ruimte om het wapen onder het uitroepen van een heldhaftige strijdkreet boven mijn hoofd rond te zwaaien. Wat een zelfoverschatting om te denken dat ik daar, al was het voor tijdelijk, zou hebben kunnen aarden.

Angst en paniek hadden in de weken daarvoor steeds vaker de kop opgestoken. Belandde ik in een file, dan voelde ik me opgesloten, en wilde ik het liefst vol gas voor- of achteruitrijden, als in de botsautootjes op de kermis. Het kon me ook gebeuren dat het kopen van een tube tandpasta me een hele ochtend kostte. Uitzoeken waar de dichtstbijzijnde drogist was, plannen van de kortst mogelijke route met behulp van een stadsplattegrond, en vervolgens moed verzamelen om de deur uit te gaan. Ik schuifelde dicht langs de huizen, soms met mijn handen tegen de muur. Het duizelde me, en ik was bang om flauw te vallen. Zodra ik een winkel binnenging, wilde ik direct weer naar buiten. En keerde zonder tandpasta terug. ·

Ook raakte ik een keer vlak voor de Coentunnel in paniek. De tunnel was zo laag en smal dat ik er niet meer doorheen durfde. Ik stopte op de vlucht-strook en liet mijn tranen de vrije loop. Huilde on-bedaarlijk, met hoge uithalen, net een dier. Er werd geklopt op het raampje. Er stonden drie agenten. Een van hen opende met enige schroom het por-tier, boog zich naar binnen, en vroeg of alles goed ging. Even later zat ik als passagier naast hem in mijn eigen auto, en gedrieën brachten ze mij terug naar de Spuistraat.

In die dagen werd ik geconfronteerd met een boosaardige kracht die in mijn lichaam huisde. Een vijand waarmee ik moest leren leven. Die mij op onvoorspelbare momenten dwong een vork te ne-men en met kracht diep in mijn rechteroog te ste-ken. Ik slaagde er met moeite in de drang te weer-staan, waarbij mijn arm trilde van inspanning.

Begin december 1987 had ik een helder besef dat ik naar huis moest. Net zo liggend als nu, starend in het donker, luisterde ik naar mijn zorgelijke woeste hartslag. Het onvermijdelijk gevolg van te veel bier en sigaretten. Ik probeerde mijn ademhaling te kal-meren, mijn verdriet te bezweren, en verzamelde moed om naar mijn ouderlijk huis te reizen en daar Sinterklaas te vieren.

* * *

Bij binnenkomst wist ik dat ik mijn vader voor de laatste keer begroette. Ik zocht naar gelijkgestemde zielen om deze gedachte te kunnen delen, maar vond ze niet. Er was irritatie dat zijn ziek zijn het sinterklaasfeest verstoorde. Er heerste sowieso irritatie over de lange duur van zijn ziekte, zijn verslechterende humeur.

Iedereen zat in de huiskamer, mijn vader lag in de aangrenzende slaapkamer in bed. Te zwak om op te staan. Als iemand onder de afzuigkap een sigaret opstak riep hij dat hij uit moest. Het maakte hem nog benauwder dan hij al was. Van tijd tot tijd ging ik bij hem kijken, zat ik naast hem op zijn bed. Ik voelde hem langzaam wegebben, zag de twinkeling in zijn bruingroene ogen verdwijnen. Ik kon het moeilijk verdragen, maar als ik zijn slaapkamer uit liep wilde ik weer terug.

We pakten onze surprises bij hem uit, droegen onze gedichten voor. Ik las de zijne hardop, hij had zelf de kracht niet meer. Ze gingen traditiegetrouw over emigreren naar Koeweit, zijn belastingparadijs. Ik toverde een glimlach op zijn uitgeputte lippen. De laatste die ik zou zien.

's Nachts waakte ik aan mijn vaders bed. Ik hield zijn hand vast, die stram en koud aanvoelde. En keek hem aan. Op zoek naar een blijk van erkenning in zijn ogen. Hoe kon ik hem zeggen dat ik van hem hield.

Hij riep steeds opnieuw 'moeder, help, ik ga dood'. Mijn moeder fluisterde met tranen in haar ogen: 'Dat roept hij al jaren.'

Even later volgde ik de ambulance. Rond halfzeven verliet ik de snelweg, en reed via de 'weg naar de poort' richting ziekenhuis. Ze trokken mijn vader onder onze handen vandaan. Hier golden andere wetten. Hier mocht men niet sterven. Zijn lichaam schokte onder stroomstoten terwijl ze hem wegreden. Verboden toegang voor onbevoegden.

Acht uur eenendertig. De arts die de wachtruimte van het ziekenhuis binnenkwam, knikte alleen maar beamend. Mijn vader was dood. Ik had hem niet vaarwel kunnen zeggen. Heeft hij toen ik aan zijn bed zat, gezien hoeveel ik van hem houd? Heeft hij geweten wat ik nooit met hem kon delen, mijn onmacht gevoeld en herkend als de zijne?

Als ik wakker word, loopt een traan langzaam de schelp van mijn oor in. Het zout bijt in mijn huid. Ik hoor de blote voeten van Mateus op de gang, de deur naar de badkamer die opent en weer sluit. Het brengt mij terug naar de realiteit, de vroege ochtend van mijn zestigste verjaardag.

In gedachten dwaal ik af naar mijn eerste ontmoeting met Mateus. Flarden van de prelude uit de eerste cellosuite van Bach klonken door het geroezemoes van een gezellig drukke Koninginnedag. Ze betoverden mij vanaf het allereerste moment, niet alleen de verrassende interpretatie, maar ook een instrumentkeuze die ik aanvankelijk geen naam kon geven.

Toen zag ik hem. Een verlegen lange tengere donkere man, met rastahaar, die ingetogen en toch expressief twee steeldrums bespeelde. Zijn lichaam in soepele cadans en zijn bewegingen in perfecte harmonie met melodie en contrapunt. Het dichte bladerdek van de boom waaronder hij stond, werkte als een akoestische paraplu die de klanken van zijn instrument over het Vondelpark verspreidde. Honderden mensen vormden zwijgend een halve cirkel om hem heen. Ik stond als aan de grond genageld, in de ban van zoveel schoonheid. Te geraakt om echt een gesprek te voeren bedankte ik hem na afloop even kort, en nam zijn kaartje mee. MATEUS EMILIO BATISTA, STEELDRUMS & PERCUSSION.

48

* * *

Toen ik gisteren twintig minuten te vroeg arriveerde achter het station stond hij al te wachten. Groter en donkerder dan in mijn herinnering. Hij oogde blij, maar ook vermoeid, na zijn lange treinreis, helemaal uit Genève. Voor een privéconcert, ter ere van mijn zestigste verjaardag. Een langgekoesterde wens ging in vervulling toen ik Mateus omarmde, 's werelds beste four stick steeldrum-speler. Ik was ontroerd, voelde me bijna schuldig.

Hij accepteerde in dankbaarheid onze kleine logeerkamer en richtte die in als zijn tijdelijk onderkomen. Beneden had hij het rek met zijn beide steeldrums al opgebouwd, op een podiumpje dat we voor hem hadden geïmproviseerd. Zijn instrumenten waren net gestemd, vertelde hij vol trots. Maar een paar mensen kunnen dat precies zoals hij het wil. Hij reist er twee keer per jaar speciaal voor naar Londen.

Na een kop soep stelde ik hem voor om wat samen te spelen. We speelden stukken van Satie, Soler en Bach, tastten elkaar af. Met de lange adem van mijn Hohner Morino IV kon ik dunne legato melodielijnen spelen, die de korte staccato klanken van zijn steeldrums compenseerden. Zijn klanken leken soms te drijven op de magistrale driekorige orgelklanken van mijn instrument. Tussen het samenspelen door luisterde ik ademloos naar zijn vertolkingen van mij onbekende Braziliaanse en Spaanse componisten. De liefde en concentratie waarmee hij speelde, maakten me stil. De vaardigheden die hij beheerste om zulke complexe composities te spelen met in elke hand twee stokken. Het zag er zo vanzelfsprekend uit. Zo vanzelfsprekend als zestig worden.

Ik toonde hem het inmiddels verfomfaaide vodje dat ik had meegenomen uit het Vondelpark. Al die tijd had het de jaarlijkse opruimwoede van mijn werkkamer overleefd, had ik ermee in mijn handen gestaan, en steeds opnieuw besloten om het niet weg te gooien. Toen Jetta vertelde dat ze mij een optreden cadeau wilde doen, wist ik ineens waarom en haalde ik het kaartje onmiddellijk tevoorschijn. Zijn telefoonnummer bleek nog in gebruik.

* * *

De grote dag begint met een teleurstelling: mijn boezemvriend Koen belt al vroeg met de mededeling dat hij die avond niet kan komen. Hij is met een ploeg aan het filmen op de Waddenzee. Wat flik je me nou, is het eerste wat door mijn hoofd flitst. Het is al zo moeilijk om een afspraak met je te maken. Ik word één keer in mijn leven zestig, en daar hoort iedereen bij die echt belangrijk in mijn leven is. Zonder jou is het feest niet compleet.

De teleurstelling verdwijnt naar de achtergrond in het praktisch geregel van de dag. Omdat we zoveel gasten verwachten, hebben we besloten de tuin gedeeltelijk bij het feest te betrekken. Jetta heeft een ingenieuze aflopende constructie van doorzichtig plastic gemaakt. Het zal droge voeten waarborgen, de ergste kou weren en de warmte van de terraskachel binnenhouden. Het is tegen de voorspelling in droog, en voor de tijd van het jaar extreem zacht. Beide buren hebben in hun koelkasten ruimte gemaakt, witte wijn en bier staan koud.

Iedereen arriveert bijtijds. De momenten van weerzien zijn intens, soms onwennig na zo lange tijd. Ik vecht met de ontroering dat echt iedereen is gekomen. Er te lang bij stilstaan kan niet, ik begeef me in het feestgedruis en geniet van de ontmoetingen: vrienden en familieleden vinden elkaar in gesprekken over muziek of hoe ze mij kennen. Er zijn dit keer geen spanningen of sluimerende conflicten. Het voelt als een groot geschenk.

Vanuit mijn ooghoek zie ik Mateus in een goudkleurige tuniek en op blote voeten het podium betreden. Ik duim in stilte voor hem, wetend hoe moeilijk het kan zijn een feestend publiek voor je te winnen. Als de eerste maten van Heitor Villa-Lobos' Bachianas Brasileiras klinken, verstomt het gedruis als in een freeze. Ademloos staat iedereen te luisteren, geraakt door hetzelfde. Zo had ik me dit voorgesteld. Als de laatste klanken zijn weggeebd, blijft het even doodstil. Iedereen wil, iedereen aarzelt. Dan barst een ovatie los, als het geluid van klapwiekende vleugels stijgt ze op en vult de zachte avondlucht.

* * *

Ik verbleek als de deur opengaat en hij binnenkomt. Hij is wel de laatste die ik als gast had verwacht. De allerlaatste die ik zelf zou hebben uitgenodigd. Gehuld in rode mantel, mijter op het hoofd en vergezeld van een zwarte knecht in goudgebiesde pofbroek. Terwijl iedereen vol verwachting naar mij kijkt, lach ik vriendelijk terug en laat niets merken, maar verlang ernaar onzichtbaar te zijn. Het tweetal komt dichterbij, en ik probeer houvast te vinden door te doorgronden wie zich in de sinterklaasvermomming bevindt. Hij heeft een enorme neus. Behalve mijn broer en mijn oom Maarten ken ik eigenlijk niemand met zo'n joekel. Bovendien staat mijn broer daar in de feestende menigte en is mijn oom al zeker twintig jaar dood. De verwarring wordt alleen maar groter als ik in Zwarte Piet mijn vriend Koen herken. Koen die ronddobbert op de Waddenzee.

Met een schok realiseer ik me de mogelijkheid van een samenzwering. Ik vraag me af of iedereen medeplichtig is, of alleen Jetta, Koen en de onbekende die Sinterklaas speelt. De vele verraste gezichten om me heen stellen mij enigszins gerust, en ik kan weer glimlachen. Sint en Piet hebben het podium nu bereikt en klimmen erop. Het podium van Mateus! Sint neemt plaats in een grote zwarte zetel die ik ook al niet ken.

Hij verzoekt mij dichterbij te komen. Ik wil niet, maar durf niet te weigeren. 'Kom gerust wat dichterbij, je hoeft niet bang voor me te zijn.' Ik sta nu vlak voor hem. Gevangen in het aantrekkingsveld van de magneet die gevaar heet.

Wanneer Sint mij vastpakt en bij zich op schoot trekt, voel ik mijn glimlach verstarren. Angstzweet loopt over mijn rug en maakt mijn overhemd in luttele seconden drijfnat. Iedereen ziet het, verdomme, iedereen kijkt dwars door me heen. Sint praat maar door, er komt geen eind aan. Zijn mond beweegt vlak naast mijn oor, ik versta hem niet meer. Hoor een zalvende toon die probeert mij in te palmen.

De bedompte geur die uit de mantel opstijgt, voert mij onverbiddelijk terug naar de beelden van een opengeknoopte soutane, smoezelig gelig ondergoed. Zweetdruppels parelen op zijn bovenlip, een zwart met zilveren crucifix bungelt verloren aan een koord om zijn hals. Zurig bedorven walmen blazen met elke uitademing in mijn rechteroor. Zijn plakkerige wang schuurt in mijn nek. In een flits zie ik hem weer staan, na afloop van de Mariaviering, kameraadschappelijk pratend met mijn vader, bij de uitgang van de school. De blik van verstandhouding die zij glimlachend uitwisselden terwijl ik aan kwam lopen, vervulde me met trots. Zij gebaarden dat ik dichterbij mocht komen, en frater Stemvork legde zijn hand op mijn hoofd. Het gaf een fijn gevoel. Via mijn veel te wijde korte broek neemt diezelfde hand nu dwingend en ruw bezit van me. Terwijl ik beklemd sta tussen zijn armen, perst zijn zwetend hijgend lichaam mijn gezicht tegen de gelakte houten lessenaar.

Waarom kom je nu in mijn hoofd, papa? Het is beter dat je weggaat. Dat je me nu niet ziet. Je zou je zo schamen. Wat zou ik je moeten zeggen.

Zijn hand wringt zich tussen mijn billen. Mijn

blik zuigt zich vast aan het vlammenpatroon in het hout. Een knoest in de vorm van een muizenhol, waardoor ik zou willen verdwijnen. Weg, weg! Ik verwacht elk moment de brandende pijn opnieuw te voelen. Ik knijp mijn ogen zo stijf dicht dat rode en gele vuurballen heen en weer flitsen. Mijn spieren spannen zich in uiterst verzet. Vastbesloten om niemand ooit nog binnen te laten, voor eeuwig op slot, en klaar om te vluchten. Als ik nu op mijn zestigste verjaardag alsnog wegren, durf ik niet meer terug te keren. Dan is alles voor niets geweest.

De hand van Koen op de Waddenzee ligt op mijn schouder, glijdt naar de knoopjes van mijn overhemd en begint ze los te maken. Ik kijk hem verrast aan, wat gebeurt er nu, dat heeft frater Stemvork nooit gedaan. Ik duw zijn hand weg en roep: 'Nee, dat wil ik niet!' Er valt een pijnlijke stilte. Vanaf het podium kijk ik rond, zie verbaasde blikken.

Sint sluit zijn boek, komt omhoog uit zijn zetel en recht zijn rug. 'Ik ben belangrijk, ik ben belangrijk... Zeg het maar: "Ik ben belangrijk."'

Ik bevind me nu wel in een heel vreemd toneelstuk, met bizarre personages, en voel dat ik nu iets moet doen, een gebaar moet maken, om mijn gezicht te redden. Inwendig vervloek ik hem dat hij niet gewoon weg kan gaan zonder deze beschamende finale. Ik open mijn mond, maar mijn stembanden laten me in de steek en produceren een onverstaanbaar en krassend geluid.

Haastig wordt een lied ingezet: 'Zie de maan schijnt door de bomen'. Verwarring alom. Koen van de Waddenzee heeft een ander sinterklaaslied ingestudeerd. Zo ken ik Koen weer. Ik lach in een kort moment van opluchting. Onbedoeld zingt iedereen mij nu a capella toe: 'Vol verwarring is zijn hart, nu weer vreugde dan weer smart.'

Hoe waar is wat ze zingen.

Hoe kan dat?

De gedachte aan een samenzwering keert aarzelend terug. 'Vol confetti is zijn hart, want hij is nog niet verstard.' Waar gaat dit over? Krachtig en vol overgave zingen mijn vrienden me toe. De grijns op mijn gezicht doet pijn. Mijn gezicht voelt als een kop van klei. Tranen steken achter mijn ogen. Het is afgelopen, eindelijk, Sint en zijn knecht worden nagezongen terwijl ze de ruimte verlaten. Maar de opluchting blijft uit.

* * *

Tien minuten later is Koen weer terug, in zijn gewone kleren. De bovenste helft van zijn rechteroorschelp is nog zwart. Hij neemt me apart. 'Wat was er met je?' vraagt hij bezorgd.

'Alsjeblieft Koen, nee, niet nu. Later.'

En ik loop bij hem weg. Maar weet dat ik de vragen niet meer kan ontlopen, te veel mensen hebben gezien dat iets mij overweldigde.

Zodra ik me ertoe in staat voel, beklimmen Mateus en ik samen het podium. Het gevoel van naaktheid is gebleven en maakt dat ik anders speel. Ik laat het initiatief aan hem, en keer met gesloten ogen even terug in een wereld die veilig is. Wat we ook vertolken, we ademen in één vanzelfsprekende beweging, ik laat mijn accordeon klaaglijk janken, fluisteren, soms voluit gaan, met alle registers open. Na afloop van ons 'concertje' zoent Mateus spontaan mijn handen, en ik de zijne.

* * *

Uren later lig ik op mijn rug, de armen onder mijn hoofd gevouwen, en probeer alle aandacht en genegenheid van de avond vast te houden. Tegelijk ben ik ongerust over dit nieuwe en onbestemde hoofdstuk in mijn leven. Ik kan niet langer blijven zwijgen.

* * *

De volgende ochtend ben ik om halfvijf wakker,
zoek koortsachtig naar hét moment. Ik wil de se-
conde traceren waarin het fout ging en ik opnieuw
werd besprongen. Het duizelt me. Wat gebeurde
er precies, en waarom uitgerekend gisteren? Steeds
weer kom ik uit bij de muffe geur uit de rode mantel
van Sint. Die mij feilloos terugleidde naar de herinnering aan de zwarte toog van frater Stemvork. Ik
moet proberen mijn dierbaren een brief schrijven.
Een brief waarin ik ze vertel wat ik als achtjarige
heb meegemaakt, op de laatste schooldag voor de
zomervakantie, toen ik na moest blijven.

Zal ik ze gewoon schrijven dat ik verkracht ben?
Dan krijgt het beest zijn naam. Of zullen ze alleen
al schrikken van het woord, en niet meer verder
durven lezen en nooit meer iets van zich laten horen? Moet ik het wel vertellen? Wat roep ik over
me af met deze bekentenis? Hoe dan ook wil ik
Jetta verlossen uit een onmogelijke positie: dat zij
de enige is die het weet. De wissel die het op haar
leven en dat van mijn kinderen trekt, is al zwaar
genoeg. Hoe valt er te leven met mijn terugkeren-
de somberheid, mijn onderhuidse woede, die zich
soms op onvoorspelbare momenten een weg naar

buiten zoekt. Hoe onaanraakbaar ben ik vaak!

Terwijl ik keer op keer probeer zinnen kernachtig en toch licht te formuleren, hoor ik Mateus neuriën onder de douche. Ik ga naar beneden, zet koffie en haal croissants. Als hij na het ontbijt de kamer verlaat om zijn koffers te pakken zegt mijn jongste dochter: 'Mateus is ook lang, tenger, en net zo verlegen. Hij is een lichtvoetiger versie van jou. Als jij nou een Braziliaan was zouden jullie broers kunnen zijn.' Ik loop achter haar langs, sla even mijn armen om haar heen en zoen haar haar. Doordat zij van niets weet, sluit ik haar al haar hele leven buiten. Ze heeft gelijk, ik kan zo zijn. Ik zou graag zo willen zijn. Misschien wordt het mogelijk nadat ik mijn beide dochters de brief heb laten lezen die ik mijn vrienden ga sturen.

* * *

's Middags breng ik Mateus naar het station. Voorzien van een rugzak vol proviand voor zijn lange reis terug. Dat hij van niets weet, creëert nu ongewild een afstand. Ik wil hem hier niet mee belasten, maar mijn vrienden wel. Het moet. En het moet nu. Er is geen weg terug.

Ik kan Mateus pas laten gaan na de wederzijdse

belofte dat we ooit samen een concert zullen geven, in Amsterdam, of waar ook ter wereld. Na een broederlijke omhelzing laten we elkaar zwijgend los.

* * *

Op de terugweg naar huis ben ik weer even de jongen van acht. Ik wijk af van de route, verzin eindeloos omwegen. Vind houvast in de cadans van mijn voetstappen en het verspringend patroon van stoeptegels. En zoek naar dezelfde woorden waarvan ik toen het bestaan niet eens vermoedde. Ik loste het op door dan maar helemaal te zwijgen. Van de ene dag op de andere werd ik een stil kind.

Ik kijk verrast op als Koen al langsfietsend naar me zwaait en roept: 'Dag dag, ik ga nu echt naar de Waddenzee, tot snel!' Dan haast ik me naar huis en begin aan een brief die ik hoe dan ook nog vanavond wil verzenden.

Verantwoording

De brief waarover Josef Willems op de laatste pagina's van *Kinderschrik* schrijft, heeft hij inderdaad geschreven. En verzonden. Toen ik de brief las, dacht ik: wat een verschrikking. Maar ook: wat een verhaal. Alleen mag ik het niet schrijven, want het is zijn verhaal.

In de jaren daarna kwamen het feest en het geheim dat onthuld werd vaak ter sprake. Op een dag vonden Josef Willems en ik de vorm om erover te schrijven. Niet tweestemmig, maar na elkaar, ieder een deel. Mijn en zijn terugblik op een avond in december, een avond die al schrijvende van kleur veranderde.

Vonne van der Meer